KB103250

「우리의 페이지」

우리의 페이지

우리의 페이지

발　행 | 2024년 06월 21일
저　자 | 조매꾸 꿈런쌤, 광교호수중 2-1
펴낸이 | 한건희
펴낸곳 | 주식회사 부크크
출판사등록 | 2014.07.15.(제2014-16호)
주　소 | 서울특별시 금천구 가산디지털1로 119 SK트윈타워 A동 305호
전　화 | 1670-8316
이메일 | info@bookk.co.kr

ISBN | 979-11-410-9073-9

www.bookk.co.kr

우리의 페이지

광교호수중학교 2학년 1반 지음

우리의 페이지

광교호수중 2-1
조매꾸 독서시 1기

목차

나의 정답

지구

책

관성

조매꾸 나도 작가다 1기

PART I

우리의 페이지

우리의 페이지

우리의 페이지
한장 한장 추억을 담아보자
시간이 지나 넘겨 볼 수 있도록

각자 다른 방향으로 가겠지만
모두 행복한 결말로 가도록

우리의 페이지
먼훗날 우리가 모이면
우리 우정의 열쇠가 되도록
긴 시간동안 잠긴 우정이란 상자가
다시 열리도록

유재온

우리의 페이지

장은성

이 순간이 힘들고 아파도
우리의 하나의 페이지로
남을 것이고

이 순간이 행복하고 찬란해도
결국엔 우리의 하나의 페이지로
남을 것이죠

어차피 이 순간은 하나의 페이지니
우리 지금 이 순간 만큼은
후회없이 재미있게 살아야죠

PART 2
잿빛 세상

잿빛 세상

오승현
[마음을 읽는 아이 오로르]

모두 지쳐 보이는 사람들
날씨 마저 우중충한 잿빛 세상
어쩔 땐 정말 싫어도
밝고 행복한 날만
계속 될 수는 없다는걸 알기에
잿빛도 삶의 일부 이기에
잿빛인 날이 많기 때문에
푸르른 날들을
더 아름답게 느낄 수 있단 걸
알 기 에
오늘도 푸르른 날을 기다린다

운수좋은날

강예진

오늘만 쉬라는 마누라의 애원
오늘따라 나만 찾아주는 손님들의 호출

국물이라도 먹고 싶다는 마누라의 소원
반드시 설렁탕 이라도 꼭 사주겠다는 다짐

집으로 가는길 설렁탕으로 가벼운 두 손
점점 더 무거워 지는 발걸음

사다줘도 먹지 못하는 마누라의 침묵
괴상하게도 오늘은 운수가 좋더니만

-《운수좋은날》-

김우진

이혼을 하고 외롭게 살아가던 주인공
주인공은 전직 형사 였다

어느날 딸이 유괴 되었다는 사실을 들리여
주인공은 경찰에 신고하지 않았다

주인공은 스스로 범인을 찾을 계획을 세운다
시간이 지날수록 많아지는 눈물
계속 짧을수록 지나가는 시간

주인공은 선택의 기로에 서게 되는데...

(익명의 전화)

조매꾸 나도 작가다 1기

라면은 맛있다

양지은

라면은 맛있다.
한 젓가락 먹을때마다
입안에 퍼지는 그 맛
언제나 나를 위로해준다
바쁜 일상속에서도
한 순간을 즐겁게 만들어주는
그 맛있는 라면

맛있는 여행

BAKERY

김아인

마법같은 공간
달콤한 빵 향기
마음을 사로잡은 그 순간
마법사의 손길
레시피의 비밀
맛있는 여행
새로운 세계로 초대하는 초대장

- [illegible]

김밥이 먹고싶어질때면
예전에는 엄마에게 부탁했지만
요즘은 밖에서 사먹는다.

엄마가 도시락을 싸면서
다친상처는 반창고로 붙이고
애써 웃어 보이는 엄마

김밥은 맛있다.

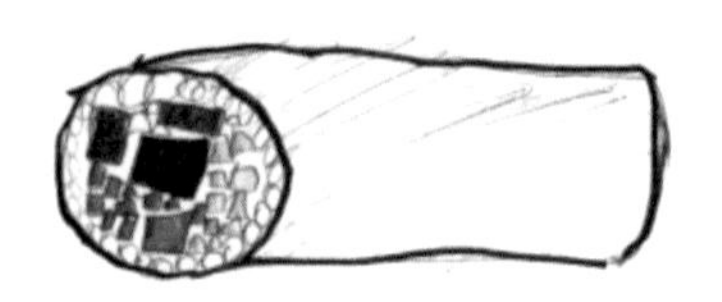

급식

안지용

아무생각 없이 점심에 먹는 급식.

먹고나면. 수업시간에 아무 생각 없지.

맛있는 급식이 나올 땐. 수업을 열심히 하지만.

다른 경우에는 집중을 못하는 급식

맛있는 급식이든 아니든 남기지 말자.

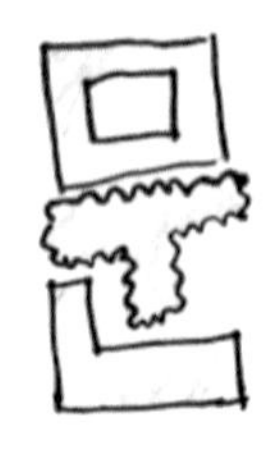

강준서

문어

문어는 다리의 일부분이 잘려져도
문어는 그 고통을 대수롭지 않게 생각한다. 움직일수 있으니

문어는 다리의 절반이 잘려져도
문어는 그 고통을 심각하게 생각하지 않는다. 기어다닐수 있으니

문어는 다리하나가 잘려나가도
문어는 그 고통을 견딜만 하다고 생각한다. 헤엄칠수 있으니

그럼 문어의 모든 다리가 잘려나가도?
아니다 그건 움직일수 없다.
인간들에게 잡힌 것이다.

딸기

20128 주윤호

먹어도 먹어도 맛있는 딸기

먹으면 먹을수록 건강해지는
딸기

많이 먹어도
살이 안찌는
딸기

딸기는
맛있는
약

자린고비

20128 주윤호

자린고비의 일기

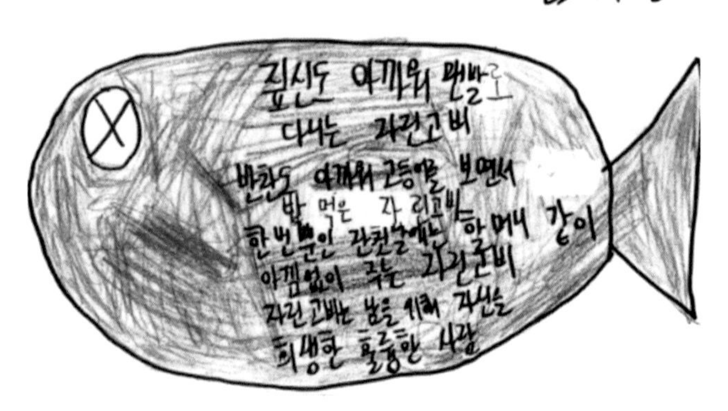

조매꾸 나도 작가다 1기
PART 4
나의 정답

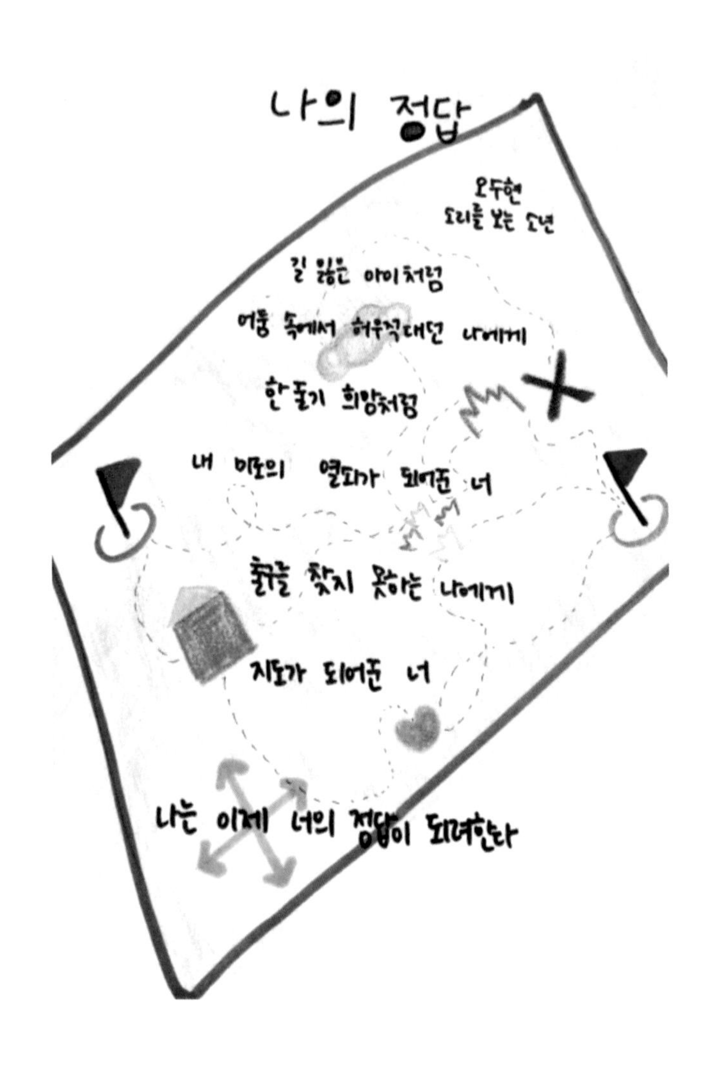
나의 정답
오두현
소리를 보는 소년
길 잃은 아이처럼
어둠 속에서 허우적대던 나에게
한 줄기 희망처럼
내 미로의 열쇠가 되어준 너
출구를 찾지 못하는 나에게
지도가 되어준 너
나는 이제 너의 정답이 되려한다

12:00 LTE 5월 2일 목요일

블로그

오수현

꿈을 지키는 카메라

이 동네 저 동네
여기 맛집 저기 맛집
맘에 드는 사진 골라
끄적끄적 일기 쓰듯
깨알같은 공감 눌러
서로서로 댓글 달며
위로의 말 축하의 말
지난추억 떠올리며
나도 몰래 올라간 입꼬리

시선

오승현
「죽고 싶지만 떡볶이는 먹고 싶어」

시선을 옮기면 삶의 구석을
엿볼 수 있다
시선은 행동을 이끈다
행동은 삶을 변화시킨다
오로지 나를 위해 내가 변할 수는 없다는 것
나를 변하게 하는건
내 시선이 닿는 무수히 많은 것들 이라는 걸
깨닫는다
삶의 구멍은
수없이 깨닫는 것들로 채워진다는 걸 배운다
시선을 옮기자
나에서 타인으로
절망에서 희망으로
편안함에서 불편함으로
쓸모있지만 나를 녹슬게 하는
것들에서
비록 무용하더라도
나를 아름답게 하는 것들로

두 개의 문

장은성

사람에 마음에는 두 개의
문이 있다.
둘 중 하나의 문이 닫히면
다른 한 문이 열리기에
우리는 그 문을 완전히 닫을 줄
알아야한다
그 문이 닫히면 우리에겐
새로운 문이 열리고 또 다른
세계가 열린다

별

장은성
책 : 별 - 알퐁스 도데

나에게 별은 삶의 끝인데
소년의 별은 사랑의 시작이다

나에게 별은 별 기대없는 내일을 그리는
풍경뿐인데
소년에겐 별이 내일을 설레게 만드는 존재이다

나에게 별은 광활한 우주 속 아스라한
목표이지만
소년의 별은 이미 소년의 곁에 있구나

세계를 건너 너에게 갈게

김우진

세계를 건너 너에게 갈게
세계가 달라도 만나러갈게

불가능한 것도 의지만 있으면 가능하게 할수있다

깜깜하게 막혀있는 둘의 비밀
점점 펼쳐지는 둘의 진실
진실을 알게된 두주인공들..

돌멩이

유지온
<조슈아 트리>

어떤 상황이든
남이 뭐라하든
무덤덤

사람들과 어울려 지내는 건
북적 거리는 장소에 가는 건
딱 질색이야

다음 생이 있다면
다음에 또 태어나게 된다면
돌멩이가 되고 싶다

사람 없는 산 속에 홀로 있는 돌멩이
나무 옆에서 조용히 바람 맞는 돌멩이
그런 돌멩이가 되고 싶다

사람들에게 꿈을 파는 것
사람들에게 행복을 파는 것
그것이 나의 행복이다

꿈 속에서 만나주기로 했던 그 약속도
꿈 속에서 안아주기로 했던 그 약속도
지켜지게 해주는 직업
그 것이 나의 직업이다

사람들의 행복을 지켜주는 곳
사람들이 원하는 꿈을 꿀수 있게 해주는 곳
그곳이 나의 직장이다

꿈을 파는 백화점
그 백화점에서 꿈을 사는 손님들
나는 그런 백화점의 직원이다

나의 직업
굿!
희스터
오로라 2-2서
나의 꿈은 두가지
댄스선생님과 제빵사
하루종일 힘든 하루를 보내지만
끼르르 ^▽^
나의 춤을 좋아해주는 아이들
3만원 입니다.
맛있어요
나의 빵을 좋아해주는 손님들
힘을 내서 하루를 살아간다
쉽지 않은 삶이지만
행복한 내 삶.
굿!
감사합니다~^^

음악

희스 터

나는 음악을 좋아한다.
지금도 듣고 싶다.
하지만 엄마가 대부분 안된다고
하신다.
그런데 엄마가 된다고
해주셨다.
20분 동안.
너무 신이 난다.
이제 나는 음악을 들으러
간다.

헤드셋

마법 연필

회스터

빨강 연필

놉!

나는 글 또는 시를 쓰는 등
이런 것들을 싫어한다.
차라리 글을 쓸 때 저절로 써지는
마법 연필이 있었으면...

다음 날
학교에 갔는데 바닥에
한 연필이 떨어져있었다.

한번 써보았더니 내가
원하던 마법 연필이
생겼다. 행복했다.

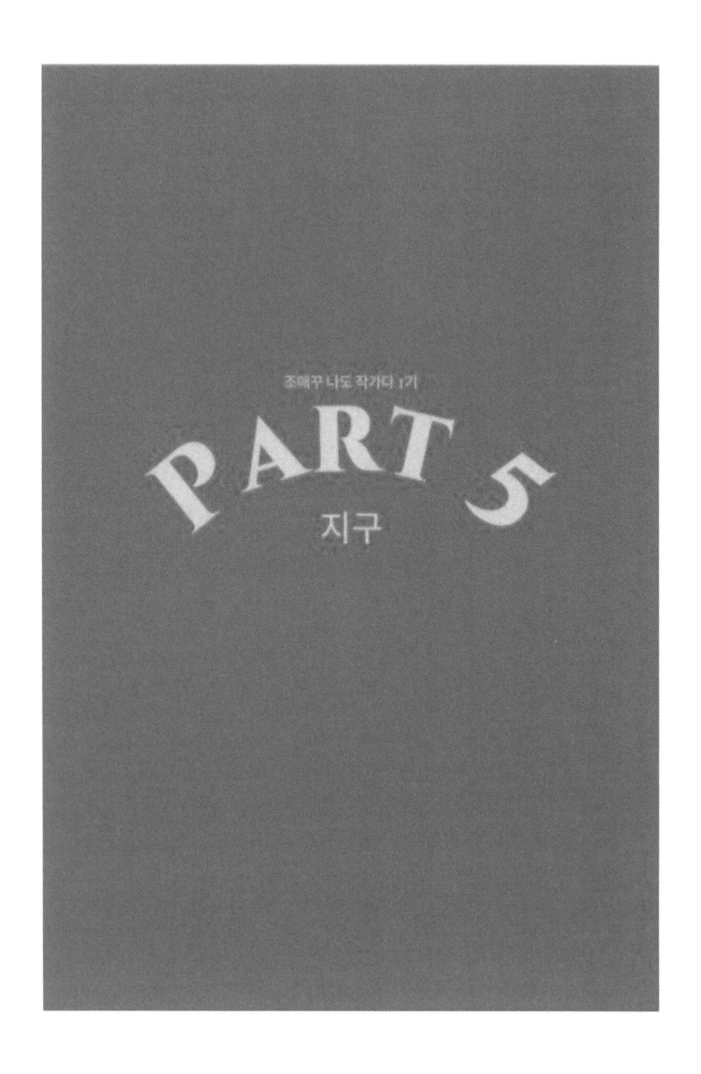
조애꾸 나도 작가다 1기
PART 5
지구

김유찬

지구

-코스모스-

끝을 알 수 없는 우주에
아주 작은 푸른 점 하나가 있다

저 점은 모두의 고향이다
모든 영웅과 악당
모든 왕과 노예
모든 학생과 선생님

저 곳에서 모든 인간이 태어났고
지구의 동식물이 태어났다

지구는 모두의 고향이다
아주 작은 고향이다

김유준

우주에는 다양한 별이 있다

거인처럼 커다란 별도 있고
매일 달리는 별도 있다

친구와 같이 노는 별도 있고
가족과 나들이 가는 별도 있다

가끔씩 죽는 별도 있지만
다시 태어나는 별도 있다

별은 다양하지만 모두 같은 특징이 있다
모두 매일 빛난다

사계절 소리

최민수

벚꽃이 떨어지는 봄의 소리
사르르 사르르

햇빛이 내리쬐는 여름의 소리
와르륵 와르륵

낙엽이 밟혀지는 가을의 소리
사브작 사브작

길눈이 덧쌓이는 겨울의 소리
화아아 화아아

네안데르탈인

최민수

우리는 모두 2% 네안데르탈인이다.

늦게 돌아오지 않는게 좋을거야

입 주위에 음식자국을 묻히고 돌아오지 않는게 좋을거야

사냥감을 가지고 돌아오는게 좋을거야

내가 왜 이걸 말해주냐면

넌 너의 가족들에게 너가 사냥하러 간다고 말해두었거든

플랫 랜드

김우진
플랫랜드

황금색 집이 플랫랜드에 놓여 있다.

그곳은 차원의 경계가 높아 눈이부셨다.

쉴곳 없이 길을 달려 가는 이들.

한걸음 떼면 삼각형 속으로 사라지며,

평평한 세계로 도착한다.

미래네! 점빵으로 놀러오세요!
윤주아
정작 카카오를 기르는 사람들은 초콜릿을 맛본적이없다고해.
코트디부아르라는 나라에서 수십만명의 아이들이 열매를 따느라 학교도 못간단다.
그리고 자원이풍부한 나라들은 모순이란다. 어쩌면 슬픔이라 해야할까?
자원이 풍부하니 그 자원을욕심내는 사람들도 많지 않겠니?
자원이 풍부한게 와 슬픕니꺼?

10대를 위한 미래

20cm[김하미]
책 제목: 10대들을 위한 미래 보고서

10대, 요즘 아이들
사조라고 부르지 않나요?
10대들의 필수품, 스마트폰

스마트폰은 10대들에게
공기같은 존재가 되었죠.

아주 똑똑한 인공지능들.
우린 인공지능이 미래의
돈줄을 빼앗아갈까봐
조마조마

계속해서 발전해나가는 우리 사회.
미래에 우리가 살 도시
스 마 트 시 티

연두색 지구

이승백

우린 일회용이 아니니까

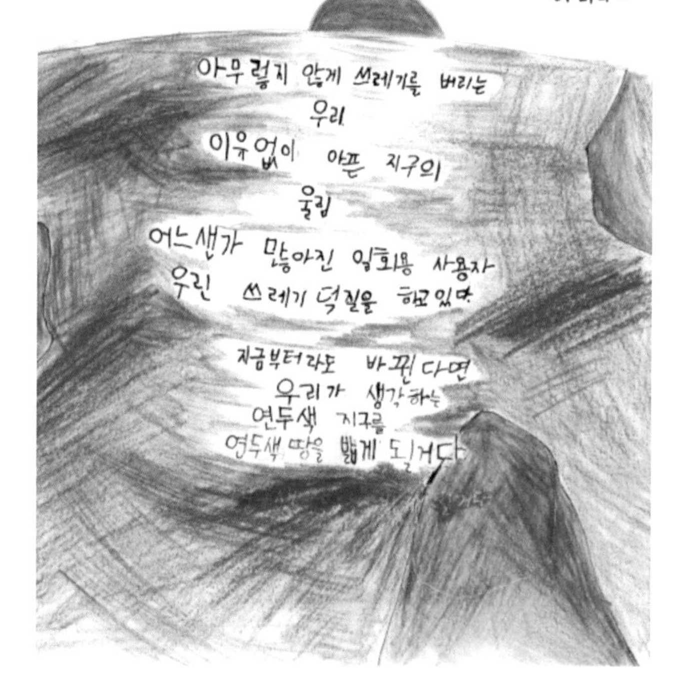

PART 6
책

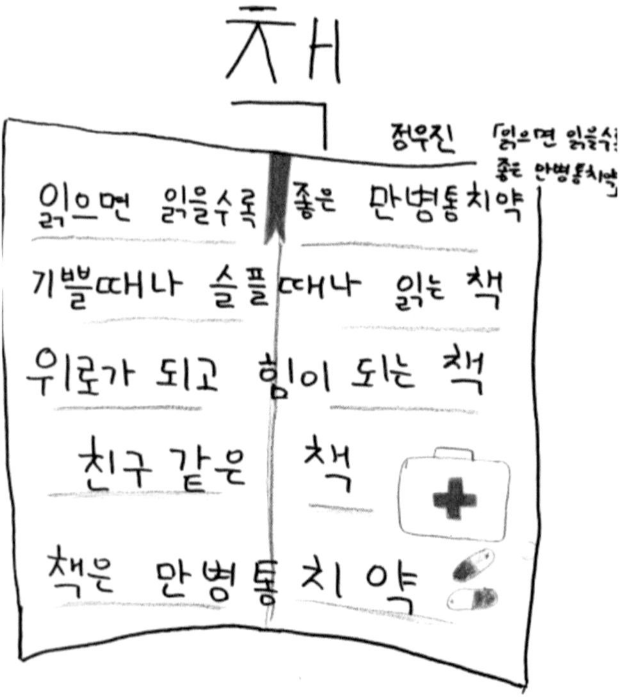

책

정우진 「읽으면 읽을수록 좋은 만병통치약」

읽으면 읽을수록 좋은 만병통치약

기쁠때나 슬플때나 읽는 책

위로가 되고 힘이 되는 책

친구 같은 책

책은 만병통치약

기억전달자

김상우 기억전달자

잠자던 세상에 손을 뻗어
기억의 책을 펼치고 싶어서
하나둘 떠올리는 문장
기억속에 숨겨진 꿈의 향기

갈망하는 마음을 담아서
기억의 문을 열어 보려해도
길고 긴 기억의 여정이 시작되는곳
잊혀진 이야기가 떠오르고

마치 작은 씨앗처럼
기억의 땅에 뿌려진다
기억의 도서관을 향해
우리 함께 향한다

오사카 大阪

김ㅇㅇ

매력적인 이 도시
다 양한 매력 포인트를 가지고 있는 이도시

역사의 오사카는
오사카 성 大阪城

현대의 오사카는
Expo 2025

음식의 오사카는
타코야끼 たこやき

문화의 오사카는
아톰 アトム

大阪は みりょくてきな 都市
매력적인 도시 오사카

반배정 개꿀꿀

박서현
체질나이 : 비밀일 입니다

방학한 지 일주일밖에 안 된 거 같은데
이놈의 개학. D-7

개학이 다가오고 있을 때
커뮤니티마다 관련글이 우르르 나온다.

그 중에 베스트 "'반배정 개꿀꿀'
적고가라. 반배정 대박나자!"

작년은 '핫꿀꿀'이었는데 올해는 '개꿀꿀'
여기에 200개가 넘는 댓글이 달렸다.

나도 조심스럽게, 정성을 다해 달았다.
"반배정 개꿀꿀! 대박나자!"

200+
ㄴ 반배정 개꿀꿀! 대박나자

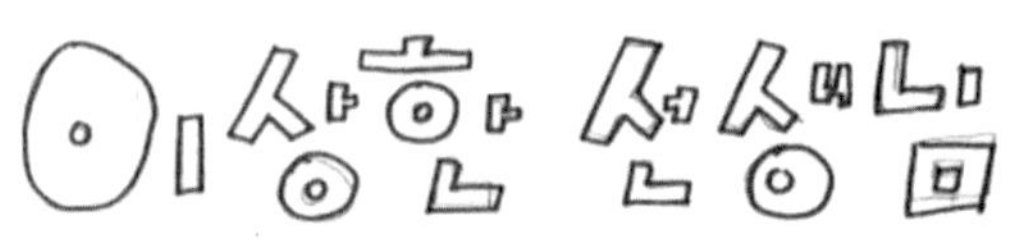

우리학교에서 가장 이상한 선생님은
박 선생님이다.

왠지는 모르겠지만
금붕어처럼 항상 까먹으시고
동네바보처럼 마춤법을 맨날 틀리신다.

반 애들 이름 까먹는 건 기본이고
가끔은 이상하게 쓰시기도 한다.

그래도 나는 박선생님이 좋다.
재미있으니까.

박경석

이상한 선생님

강지은

키작고 못생긴 박 선생님
마음도 삐뚤고 생긴것도 삐뚤고
우리에게도 삐뚤고

키도 크고 인자한 강 선생님
마음도 반듯하고 생긴것도 반듯하고
우리에게도 반듯하고

이리저리 바람같은 마음을 가진 박 선생님
초원위 갈대처럼 흔들리는 구나

곧게 뻗은 소나무 같은 강 선생님
비바람이 몰아쳐도 흔들림이 없구나

20104 김아인

아람이의 카메라는
오늘도 찰칵
희망의 소리
어려움에 처한 이웃에게서
눈을 떼지 않으리라 다짐한
아람이의 카메라는
오늘도 찰칵

20104

나무

떨어지는 나뭇잎을 주어 모아
왕관을 만들어 쓰고

나무줄기를 타고 올라가서는
그네도 타고
사과도 따먹는다

때로 나무와 숨바꼭질도 하고
소년은 나무를 무척 사랑했고
나무는 행복했습니다.

레알 마드리드

빛의진

흰색으로 묶은 산티아고 베르나베우
꿈틀거리는 그곳에 열기가 넘친다
한 방울의 땀이 팀을 승리로 이끈다
팀워크가 이끄는 환호와 함성

공을 쫓는다 그 끝에는 승리의 기쁨
한 발짝 더 나아가는 열정의 순간
축구는 우리의 열정을 불태운다
그리고 우리는 외친다

학교

20128 주윤효

친구들과 함께하는 시간
운동장은 아이들의 웃음소리 가득
교실은 선생님의 따뜻한 말
학교는 열심히 공부하고
꿈꾸는 곳

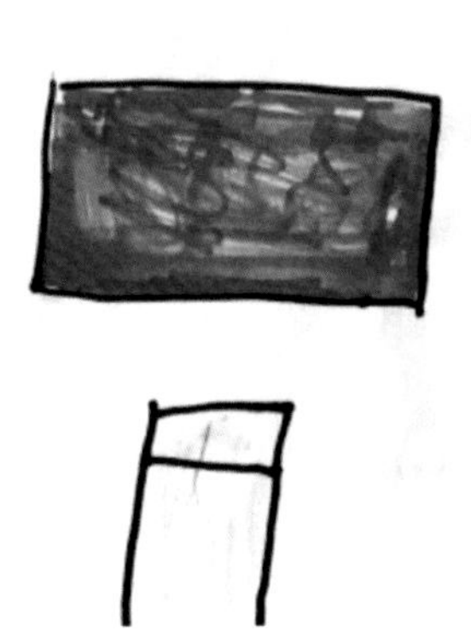

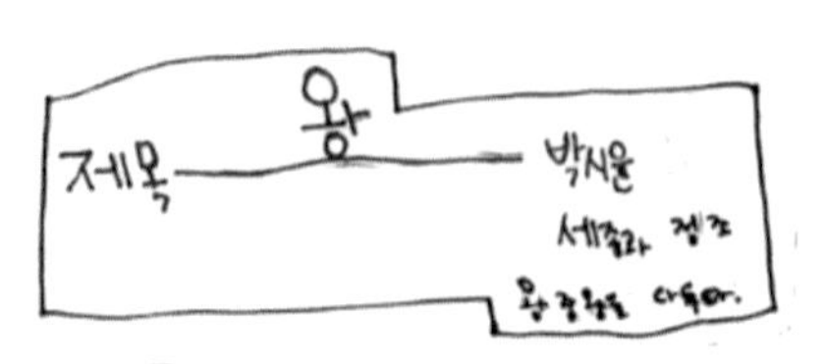

세종대왕과 정조 대왕
이 중 누가 더 완벽한 왕인가.

각 각
조선의 황금기와 문예 부흥기를
이끌었던 왕중 누가 더
위대한가.

밥을 먹으면서도 독서를
할정도로 독서를 많이 한
두 왕중 누가 더 위대한가.

백성들의 삶을 편하게
해주려 노력한 두 왕중
누가 더 존경받는 왕인가.

일본의 규슈에 있는 편의점
여러 미지의 인물이 다녀가는 편의점

미지의 인물이자 건의의 왕 미세묘 씨
미지의 인물이자 꽃 같은 외모에 미지의 점장이라고 불리는 시바 씨
매일 편의점에 들리는 동네 아저씨 쓰기 씨

하지만 이 미지의 편의점에 나타난
쓰기와 시바의 놀라운 관계

예상치 못한 상황에 모든 인물에게
몰려오는 바다의 파도 같은 기분

이 미지의 인물들이 만드는
마음속 작은 파도는

손님과 다른 미지의 직원들에게
기적을 선물해 줍다.

조매꾸 나도 작가다 1기
PART 7
관성

관성

남정현

-과학을 국어처럼-

변화가 나를 몰 때
두렵고 겁이 난다

지금의 나로써 살고싶고
쉽사리 발이 떨어지지 않지만

움직이고 나면
멈추고 싶지 않기에

더 나은 나를 위해선
물체 모두가 그랬듯이
나도 움직여야지.

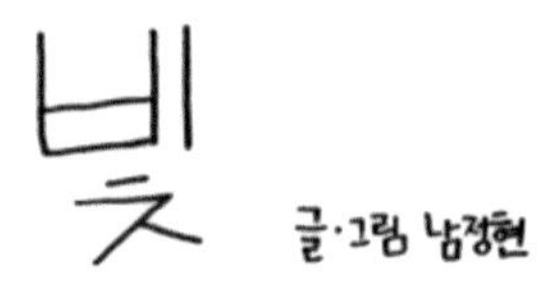

얼마나 중요하기에

그렇게 빨리 달려갈까?

사방팔방 부딪치고

온데간데 넘어져도

비로소 우리에게 도착하는 너

우리에게 **색깔**을 주었구나

인생

박준성

인생은 투자이다.
내 시간을 투자하지 않으면
주식같이 하락한다.

인생은 시간싸움이다.
기회를 빠르게 잡지않으면
내 인생은 그냥 흘러간다.

인생은 기억저장소이다.
내 나쁜 기억도 인생에 남고
좋은 기억도 인생에 남으니까.

인생은 도박이다.
한 결정에 따라
결과가 달라지니까.

무한의 굴레

박준성
제목: 가짜모범생

내 인생은 무한의 굴레이다.
매주 수요일마다 정신과를 가고
같은 질문과 대답을 하니까

내 인생은 무한의 굴레이다.
집에오면 매일 공부만 하니까

하지만 그런 굴레 속에서
벗어날수 있다면 어떨까
나는 그러면 행복해질까

우물 속 개구리가 열심히
벽을 올라가 탈출하듯이
나도 이 인생을 계속하면
자유가 찾아올까

나의 시간

장은성 · 지대넓얕

매일 아침 힘겹게 눈을 뜨고 일어나서
학교에가 졸린 눈으로 수업을 듣는다

집에 돌아오면 허겁지겁 숙제를 하고
다시 허둥지둥 집을 나선다

내 하루는 매일 이렇게 반복된다.
하지만 내 시간은 또 다른 나에게
흘러가는 중이기에
난 내일을 기대한다

안지용

꿈.

중학생의 하루

중학생의 하루는 바쁘게 시작해
책가방을 메고 등교길을 걸어가고
친구들과 이야기하며 웃음이 나오고
수업시간엔 선생님의 열정이 보이네

종일 바쁜 중학생의 하루는
꿈을 키우며 성장하는 시간이고
친구와 함께하는 순간은
바쁘지만 언제나 즐겁지.

성적

조매꾸.

중학생

= 열중, 즐거움, 열정, 등교부터
다시 하교.

Present

황혜찬
-「지금 이 순간을 살아라」

Every day is a gift.
Precious day to live with.
So don't be bereft.
Don't adrift.
But be uplift.

Every day is a present.
Given to be a man who is ardent.
So don't be embarrassment.
Don't torment.
But be benevolent.

Every day is special.
Free presents which are wonderful
So be thankful,
Be grateful,
And Have warm-hearted soul.